단숨에 읽는 대학원 ABC

김의수 (uskim2004@naver.com)

한국외국어대학교 사범대학 한국어교육과 교수. 생성문법 차원에서 문장의 구조, 어휘부와 통사부에 존재하는 불확정성을 탐구하였고, 한국어 문장 분석을 위한 해석문법 이론을 창안하여 국어교육과 한국어교육, 통번역 등에서 응용언어학적 연구를 수행하고 있으며, 최근에는 언어에 대한 철학적 연구에도 관심을 기울이고 있음. 고려대학교 국어국문학과 및 동 대학원에서 학사, 석사, 박사를 마치고, 영국 런던대학교 SOAS에서 박사 후 연수를 함. 고려대와 한국외대에서 세 차례 최고의 강의상을 받았고, 동숭학술논문상과 학범 박승빈 국어학상을 수상함. 우리어문학회 총무이사, 한국외국어대학교 한국학센터 및 한국어문화교육원 원장을 지냄. 저서로는 『한국어의 격과 의미역』(2006), 『문법 연구의 방법 모색』(2007), 『언어의 다섯 가지 부문 연구』(2016), 『문법 연구의 주제 탐색』(2017), 『해석문법의 이론과 실제』(2017), 『언어단위와 인지체계의 불확정성』(2021), 『문장 분석』(2023), 『젊은 나에게』(2024), 『너는 내 것이 아니다』(2024) 등이 있음.

단숨에 읽는 대학원 ABC

발   행 | 2024년 3월 4일
저   자 | 김의수
펴낸이 | 한건희
펴낸곳 | 주식회사 부크크
출판사등록 | 2014.07.15.(제2014-16호)
주   소 | 서울특별시 금천구 가산디지털1로 119 SK트윈타워 A동 305호
전   화 | 1670-8316
이메일 | info@bookk.co.kr

ISBN | 979-11-410-7464-7

www.bookk.co.kr

단숨에 읽는

대학원 A B C

김의수 지음

머리말

이 책은 대학원 면접 준비부터 졸업까지, 지원자와 재학생, 수료생이 꼭 알아 두어야 하는 사항들을 단숨에 읽고 바로 파악할 수 있도록 해 준다.

대학원 석사 입학에서 박사 졸업까지 9년, 대학교 전임강사부터 지금의 정교수에 이르기까지 16년, 도합 사반세기에 해당하는 25년 동안, 연구하고 가르치면서 직접 겪고 깨달은 내용들이다.

대학원 국문과나 한국어교육 전공 등 인문 계열에 당장 적용 가능하며, 학문의 전 영역에서 공통분모로 작용하는 사항들이라 사회 계열과 자연 계열에서도 참고할 수 있을 것이다.

이 책의 바탕은 2022년 1월과 2월 브런치에 올린 글들이다. 그 글들은 지금까지 2년 동안 약 3만 8천 회에 달하는 조회 수를 기록했다. 특히 면접을 앞둔 시기에는 매일 더 많은 이들이 찾았다.

모쪼록 이 책에서, 대학원에 뜻을 둔 많은 이들이 필요한 조언을 얻을 수 있기를 바란다. 본인이 원하는 연구와 학문의 길에 잘 올라 건강하고 행복하게 그 길을 꿋꿋이 걸어가길 바란다.

이문동 강의실에서

김의수

차례

1. 대학원 면접 준비하기

1.1 대학원은 대학이 아니다

대학원 면접에서 가장 피해야 할 답변과 태도는, 무언가를 배우려고 지원했다는 것이다. 어쩌면 겸손해 보일 수도 있는 그와 같은 응답과 자세는 실제로는 면접관에게 답답함과 애처로움을 느끼게 만든다.

대학원은, 이미 연구할 준비가 되어 있는 사람을 뽑아 그가 원하는 연구 주제를 소정의 기간 안에 학위 논문으로 잘 완성하고 심사를 받은 후 학위를 취득하여 졸업하게 하는 곳이다. 대학원은 논문을 쓰는 곳이지 기존의 지식을 배우는 곳이 아니다. 그것이 대학원이 대학과 본질적으로 구별되는 점이다.

요즘 추세에서는 대학 면접에서도 지원 전공에 관한 지식이 점점 더 중요해지고 있다. 면접관은 이 학생이 우리 학과 전공에 관해 얼마나 잘 알고 있는지를 알고 싶어 한다. 대학원 면접은 한 걸음 더 나아가, 당장 그가 어떤 구체적인 주제로 학위 논문을 써서 졸업할 것인지를 묻는다.

아니, 대학원에 들어가기도 전에 어떻게 석사 논문 주제를 미리 알고 지원한다는 말인가? 이렇게 묻고 있는 나 자신을 발견한다면, 당장 이번 학기 지원은 미루고 좀 더 준비를 해서 다음 학기 면접에 임하는 것이 좋다.

아니, 정말로 뭔가를 배우고 싶어서 대학원에 진학하고자 한다는 것인데 도대체 뭐가 문제라는 말인가 하고 계속 의문이 들 수도 있다. 결론부터 말하면, 그러한 소망은 대학 진학에 필요한 것이지, 대학원 진학에 어울리는 것은 아니라는 것이다.

대학 4년 동안은 전공 지식을 배운다. 새로운 지식을 만들어 내는 것이 아니라 기존의 지식을 내 것으로 만든다. 그러나 대학원은 새로운 지식을 스스로 만들어 내는 곳이다. 대학원 수업은 새로운 지식을 만들어 내는 데 도움을 얻기 위해 듣는 것이지, 그저 배우기 위해 듣는 것이 아니다. 그런 생각으로 대학원 수업을 듣고 대학원을 다닌다면 대학원을 졸업하기 힘들다. 아니, 입학하는 것도 힘들다. 대학원은 대학이 아니다. 학점을 따는 것도 중요하지만 학위 논문을 쓰고 그것을 인정받는 게 가장 중요하다.

대학원 면접에서는 기본적으로 3가지를 꼭 묻는다. 자기소개, 연구 계획, 졸업 후 진로. 이 중에서 연구 계획이 가장 중요하며, 이는 앞서 말한 대로, 이 응시자가 우리 대학원에 들어올 만한 준비가 되어 있는가를 알 수 있게 해 주는 척도이다. 자기소개와 졸업 후 진로도 연구 계획을 중심으로 놓일 수밖에 없다. 연구 계획과 관련하여 그동안 어떤 길을 걸어왔는지를 밝히는 것이 자기소개이고, 연구를 끝내고 졸업하면 앞으로 무슨 일을 할 것인지를 밝히는 것이 졸업 후 진로이다. 철저히 연구 계획에 초점이 맞추어져야 한다. 이 3가지 사항들을 3분 내외로 간명하게 말할 수 있어야 한다. 사전 연습이 필요하다.

1.2 자기소개

본인이 대학원에 입학하여 연구하고자 하는 주제와 관련하여 그동안 어떠한 준비를 해 왔고 어떠한 이력을 쌓았는가를 밝히는 것이 자기소개이다. 그래서 가족관계와 형제 중 몇 번째라는 것을 밝히는 것은 중요하지 않다. 그보다는 대학의 어떤 전공을 이수하고 어떤 일을 했다는 것이 중요하다.

가령, 한국어교육 전공을 지원한 사람이라면, 대학에서 국문과나 국교과, 한국어교육과를 졸업하였다는 점을 꼭 밝혀야 한다. 그리고 대학 부설 어학당이나 사설 기관의 한국어 강사, 그것도 아니라면 개인적인 교습 이력을 밝히는 것도 빼놓을 수 없다.

만일 학부 전공이 한국어교육과는 사뭇 다른 것이었다면, 본인의 학부 전공과 지원한 대학원 전공 사이에 놓여 있는 간극을 메우기 위해 그동안 어떠한 노력을 해 왔는가를 설득력 있게 말할 수 있어야 한다.

1.3 연구 계획

대학원에 들어와 당장 어떠한 연구에 착수할 것인지 매우 구체적으로 밝혀야 한다. 구체적인 연구 주제 혹은 학위 논문 제목을 제시해야 한다.

주제와 관련하여 기존에 어떠한 연구들이 있어 왔는가를 석사 논문, 박사 논문, 단행본, 학술지 논문 등에서 찾아 연구 흐름과 한계점을 나름대로 파악하여 얘기할 수 있어야 한다. 그리고 그러한 한계나 문제점을 극복하기 위해 본인이 생각하고 있는 바를 밝혀야 한다. 아직 연구를 본격적으로 진행한 것이 아니니 구체적인 해답이나 명확한 대안이 있기는 힘들겠지만 나름대로 예상하는 대안이나 심중에 둔 돌파구는 말할 수 있어야 한다.

연구를 진행할 방법 즉, 연구 방법론도 미리 생각해 놓아야 한다. 이론적인 접근을 할 것인지, 현장 조사를 벌일 것인지, 설문 조사를 할 것인지에 대해서 말할 수 있어야 한다. 기존의 관련 연구들을 찾아 읽었다면, 어떠한 논저이든 이러한 연구 방법론을 통해 이루어졌다는 것을 잘 알게 된다.

자신의 연구가 가지는 의의와 활용 방안 등도 함께 말할 수 있어야 한다. 아직 벌어지지 않은 것이지만 가상의 결론을 통해 이러한 점을 상상하고 기획하고 있어야 한다.

1.4 졸업 후 진로

자기소개나 연구 주제에 비해 난이도도 낮고 말할 내용도 그리 많지 않은 부분이다.

한국어교육을 예로 든다면, 석사를 받고 나서 곧장 박사 과정에 진학할 수도 있고, 그게 아니면, 일단 교육 현장에 나가 실무 경험을 쌓고 싶다고 말할 수도 있다.

박사 과정에 진학도 하고 실무 경험도 동시에 쌓고 싶다고 말하는 경우도 있는데 현실성이 떨어져 발목을 잡힐 수 있다. 실제로 대학 부설 어학당이나 관련 기관에서 한국어 강사를 하게 될 경우, 그와 동시에 박사 과정 수업을 듣기란 매우 어렵다. 한국어 수업과 대학원 강의 시간이 겹치기 쉬운 것이다.

가까운 미래가 아니라 더 멀리 내다보고, 교수를 지망한다거나 학자로서 살고 싶다고 답할 수도 있다. 이에 대해 미리 고민해 본다면 어렵지 않게 답할 수 있다. 다만, 간결하고 명확하게 답해야 한다.

1.5 면접 시 주의 사항

면접의 진행은 면접관이 주도하게 된다. 진행은 면접관이 주도하지만 주로 말하는 이는 응시자가 될 수도 있다. 면접관이 질문을 짧게 하고 응시자가 주로 답변하게 하는 경우이다. 응시자는 면접관의 말을 끝까지 듣고 잠시 숨을 고른 다음 차분하게 답해야 한다. 경우에 따라 생각이 멈추거나 말문이 막히면 잠시 시간을 달라고 양해를 구할 수도 있다.

면접관이 질문을 길게 하고 응시자가 짧게 답변할 것을 요구할 수도 있다. 이때는 질문의 요점을 분명히 파악하고 답변을 간결하고 명확하게 하는 게 중요하다. 응시자는 철저하게 면접관의 진행과 주문에 부응해야 한다.

과거에는 소위 압박 면접이라 해서, 면접관이 매우 공격적으로 질문하며 응시자를 구석에 몰아넣고, 어떻게 위기에서 빠져나오는지 보려는 경우도 적지 않았다. 그러나 응시자에 대한 고려가 높아지고 있는 추세에서 그런 경우는 점점 더 찾아보기 힘들어지고 있다.

응시자는 일관되게 겸손하고 경청하는 자세로 임하고 답변을 짧고 분명하게 하려고 노력해야 한다. 쉽게 포기해서도 안 되지만, 억지 주장을 펼쳐서도 곤란하다.

응시자가 제출한 면접 서류의 어떤 부분에 관해 말해 보라고 하는 경우도 있는데, 어떤 응시자는 서류에 쓰여 있는 것을 왜 묻느냐고 반문하는 경우도 있다. 응시자의 입장에서는 서류에 있는 내용을 면접관이 직접 보면 알 수 있는데 그걸 왜 나한테 다시 묻나 할 수도 있지만, 면접관의 입장에서는 서류를 응시자 본인이 스스로 작성했는지, 응시자가 충분히 그 내용을 숙지하고 설명할 수 있는지 보고 싶기도

하다는 점에 유의해야 한다.

면접 시간은 대학원이나 상황에 따라 다르겠지만 석사의 경우 대개 10분 내외이다. 박사 과정 면접이라면 20분 내외가 될 수도 있다. 면접실 문을 열고 들어가 인사를 하고 자리에 앉아 차분한 자세로 면접에 임하는 것부터 면접의 시작이라 할 수 있다.

면접관 역시 응시자가 들어올 때마다 긴장이 되기는 마찬가지이다. 장차 우리 대학원에 들어와 함께 연구하고 논문 쓰고 졸업하여 우리 대학원을 빛낼 사람을 맞이한다는 것도 그리 쉬운 일은 아니다. 면접의 자리에 있는 모두가 긴장을 한다는 점도 꼭 알아 두어야 할 것이다.

아울러, 면접관은 끝까지 기회를 주고자 하는 마음도 가지고 있다. 면접관 역시 응시자와 같은 시절이 있었기에 문득문득 자신의 과거가 떠오르면서 어떤 경우 눈시울이 뜨거워지기도 한다. 정성을 다해 준비해 와서 최선을 다해 답하려고 하는 응시자를 보면 박수라도 쳐 주고 싶은 게 면접관이기도 하다.

자동차 운전면허 시험이 누군가를 떨어뜨리고자 하는 게 아

니라 적절한 능력을 갖춘 이가 운전을 할 수 있도록 허가해
주는 시험인 것처럼, 대학원 면접도 누군가를 떨어뜨리고자
하는 게 아니라 적절한 연구 능력을 갖춘 이를 선발하여 그
에게 마음껏 연구할 수 있는 기회를 제공해 주고자 하는 것
으로 생각하는 게 좋다.

따라서 대학원 면접에 임하기 위해서는 연구 주제가 확립되
어 있어야 한다. 비록 그것이 대학원 입학 후 완전히 달라
진다 해도, 면접에 임하는 순간에는 무언가 확고하게 성립
되어 있어야 한다.

1.6 마무리

대학원 전공마다 필독서가 있다. 해당 학과 교수님들의 개론서나 전공서, 논문이 그러하다. 그 분야에서 공통으로 읽히는 책들도 있다. 이 모두에 대해 미리 알고 읽고 준비해야 한다. 거기에 그치는 것이 아니라 그걸 바탕으로 본인만의 연구 주제를 만들고 선행연구의 흐름과 한계, 구체적인 연구 논문 목차까지 도출해 내어야 한다. 그 모든 게 면접시 제출해야 하는 서류에 담겨 있어야 한다.

면접관은 해당 분야의 기본 전공 지식을 물을 수도 있지만, 주로 응시자가 제출한 연구 주제와 관련하여 질문을 집중하게 된다. 연구 계획이 충실하게 작성되어 있다면 면접관이나 응시자 모두 행복하게 질문과 답변을 주고받을 수 있다.

예전에 어떤 응시자가 준비해 왔던 연구 주제가 문득 떠오른다. 그는, 외국인 한국어 학습자에게 일어나는 언어 소멸에 대해 연구하고 싶다고 했다. 즉, 외국인이 한국어를 배우면서 점차 본인의 모국어를 잃어버리게 되는 현상에 대한 연구이다. 그가 지금 그 연구를 어떻게 진행하고 있는지는 모른다. 그러나 그의 연구 주제를 면접에서 접했을 때 정말 무릎을 탁 칠 수밖에 없었다. 정말 새롭고 흥미로운 주제였기 때문이다.

많이 연구된 주제라고 해서 안전한 것이 아니다. 어떻게 연구 주제를 차별화할 것인가가 더 큰 문제일 수 있다. 깊이 고민하여 남이 해 보지 못한 새로운 주제, 아무도 밟지 않은 눈 위에 발자국을 내는 연구 주제도 정말 매력적이다.

지원한 대학원 전공의 지식이 부족하거나 연구 계획이 부실하다면 다시 잘 준비하여 응시하는 것이 좋다. 그런 상태에서 들어오면, 수업 듣기도 힘들고 논문 쓰기는 더욱 힘들다.

그래서 입학 동기들은 다 졸업하고 없는데 본인만 남아 학위 논문 심사에 회부도 되지 못하고 되더라도 계속 다음 학기로 졸업이 미뤄지게 되면 정말 지도교수와 지도학생 모두에게 고역이 아닐 수 없다.

대학원은 준비된 사람이 지원하고 다니는 곳이다. 어떤 전공 지식을 배우는 것이 좋고 배우는 것에 만족할 수 있다면 굳이 대학원에 응시할 필요는 없다. 학위 논문을 써서 학위를 받는다는 것은 내가 새로운 지식을 창출하여 인정받는다는 것이다. 기존의 지식을 많이 배우는 것과 새로운 지식을 산출하는 것은 매우 다르다. 대학원은 새로운 지식을 만들어 내는 곳이다.

2. 대학원에서 공부하기

2.1 합격 후 대학원 공부 준비하기

대학원 입시는 한 학기에 두 차례 정도 있다. 특별 전형과 일반 전형. 대학원에 따라 다를 수 있으니 모집 요강을 꼭 확인해야 한다. 특별 전형과 일반 전형은 성적에 따라 지원 여부가 갈린다. 말 그대로 특별 전형의 경우 일정 정도 이상의 학점을 받은 졸업생들만 응시할 수 있다. 석사 입학에서는 학부 성적을, 박사 입학에서는 석사 성적을 본다.

일반 전형에서는 원칙적으로 학점이 매우 낮아도 응시는 할 수 있으나, 면접에서 만점을 받아도 그 전 성적이 너무 안 좋아서 결국 떨어지는 경우도 가끔 있다. 앞서 이루어 놓은 성적이 대학원 진학의 발목을 잡는 안타까운 경우이다.

1학기를 기준으로 할 때 4월 하순에 특별 전형 면접이, 6월 중순에 일반 전형 면접이 있다. 2학기를 기준으로 할 때 10월 하순과 12월 중순이다. 무사히 면접을 마치고 합격했다면 이제 대학원에 입학할 준비를 해야 한다. 면접을 준비하면서 나름대로 공부를 하였겠지만 이제 대학원에 들어가 본격적으로 공부할 채비를 갖추어야 한다.

3월 입학 기준으로 설명하자면, 12월 중순에 면접을 보고 합격자 발표가 나고 연말을 보내고 맞이하는 1월과 2월의 두 달 동안 공부하는 것을 전제로 이야기를 풀어 볼까 한다. 특별 전형일 경우 11월 안에는 합격 결과가 나오니 적어도 세 달 동안 시간이 있는 셈이다.

대학원에 들어가기 전 두세 달 동안 무엇을 어떻게 준비할까에 대해 이야기하고자 하는 것은, 결론부터 말하면, 기본기와 예습이다. 기본기라 함은, 해당 분야의 개론서를 철저히 독파함으로써 기본적인 지식을 충실히 익히는 것을 말한다.

개론서 가운데 정말 좋은 책을 골라 여러 번 읽는 것은 입학 전에, 학업 중에, 학업 마칠 때 매우 중요하다. 굳이 개론서이어야 하는 것은 그것이 일종의 내비게이션 역할을 해 주기 때문이다. 내가 공부할 영역에 어떤 분야와 지식들이 있는지를 대략적으로라도 알아 두어야 수업도 잘 들을 수 있고 연구도 제대로 할 수 있는 것이다.

입학 전 빠뜨릴 수 없는 또 하나의 중요한 것은 바로 첫 학기 수업들의 교재를 미리 구입해 읽어 두는 것이다. 이 부분은 다음 절의 '수업 듣는 방법'(2.2절)에서 다루어야 할 내용과 겹친다. 따라서 입학 전 학생을 염두에 두고 간략히 몇 가지 이야기하며 마무리하기로 한다.

대학원에 등록하고 강의 개설 정보를 얻게 된다면 당장 첫 학기에 어떤 과목을 들을 것인지 결정해야 한다. 대학원 오리엔테이션이 있다면 그 시간에 간단한 공지가 나갈 수도 있다. 그런 안내 정보가 별도로 없거나 빈약하다고 할 때 추천해 주고 싶은 수강 과목은 개론과 같은 기본 강좌다. 처음부터 매우 전문적인 분야를 공부하고 싶은 마음도 있을 수 있으나 처음에는 넓게 공부하다가 점점 더 깊이 들어가는 게 좋다.

대학원 면접을 위해 연구 계획을 수립하기는 했지만 냉정히 말해 그것은 아직 대학원에 들어가기 전에 잘 모르면서 지은 계획이다. 따라서 언제든 더 좋은 연구 계획에 자리를 내 줄 수도 있다. 그래서 연구 계획은 입학 전과 졸업 때가 얼마든지 다를 수 있다.

수업을 듣고 공부를 하면서 견문이나 식견이 넓어지면 그전에는 보이지 않거나 생각하지 못했던 것이 보이거나 생각날 수 있다. 그럴 땐 일정 기간 고민을 하며 경쟁하는 연구 주제들을 저울질하며 선택해야 한다. 그러기 위해서 첫 학기 수업은 가급적 개론 과목들로 들어두는 게 좋다. 고민할 시간과 기회를 갖기 위해서.

2.2 수업 듣는 방법: 수강과 청강

갓 입학한 학생이라면 첫 학기 수업을, 이미 재학 중인 학생이라면 다음 학기 수업을 어떻게 준비해야 하는가를 이야기해 보자. 방학은 두 달 정도 주어진다. 신입생들에게도, 재학생들에게도 비슷하다. 황금 같은 그 시간에 해야 할 것은 무엇보다도 다음 학기 수업에서 다룰 교재를 미리 공부해 두는 것이다.

각 과목마다 최소한 한 개 이상의 주교재가 있다. 부교재도 있겠지만 이름 그대로 주교재는 주된 교재이다. 학생은 그 교재들을 파악하여 미리 여러 번 읽으며 예습을 해야 한다. 어떤 과목을 들으면 최소한 주교재 하나만큼은 완전히 내 것으로 만든다는 생각으로 미리부터 예습을 해야 하는 것이다. 그것으로 다음 학기 수업 준비의 핵심이 완성된다.

그렇다면 어느 정도 읽어야 할까? 예습 단계서부터 모든 걸 다 이해할 수 있으면 좋겠지만 현실은 그렇지 못하다. 미리 읽으면서, 쉽게 이해되는 부분과 알쏭달쏭한 부분, 그리고 전혀 알 수 없는 부분들을 구별하여 표시해 놓는다. 시간과 능력에 한계가 있으므로 방학 때의 예습 단계에서 모든 내용을 다 이해할 수는 없고 단지 그러한 세 가지 부류로 내용을 구분해 놓는 것이 최선이다.

수업을 듣는 방식에는 수강과 청강이 있다. 수강은 정식 학점을 인정받는 것이고, 청강은 학점 인정 없이 수업만 듣는 것이다.

한 학기에 보통 3과목을 수강하는데 경우에 따라서는 한두 과목 더 듣고 싶어질 때가 있다. 이번 학기에만 특별히 개설되는 수업이 있을 수 있는 것이다. 다른 대학의 교수님이 연구년에 잠시 우리 학교에 들러 그 학기만 수업을 하시는 경우도 있고, 정년이 얼마 남지 않은 교수님이 마지막 수업을 하실 수도 있다.

이러저러한 경우와 이유로 인해 추가로 수업을 들을 경우 청강을 택할 수밖에 없다. 해당 과목 담당 교수님께 사전에 양해를 구해야 한다. 특별한 경우가 아니라면 대개 청강을 허락해 주신다.

다만, 수강이나 청강이나 모두 열심히 수업에 임해야 함은 물론이다. 욕심만 앞서 지나치게 많은 과목을 들으려고 하는 것은 좋지 않다. 과유불급. 소화를 하지 못하는 수업은 별다른 의미를 가지지 못한다.

수강이든 청강이든 해당 과목의 주교재를 방학을 이용하여 미리 읽어 두어야 한다. 쉽게 이해되는 부분, 아리송한 부분, 정말 알 수 없다고 여겨지는 부분. 이렇게 세 부분으로 나누어 표시를 해 두고 실제 수업에서는 두 번째에 가장 집중을 하고 세 번째에 도전하며 첫 번째는 마음의 여유를 가지고 대한다.

현실적으로, 내 것으로 만들 수 있는 부분은 확실히 내 것으로 만드는 것이 중요하다. 아무리 들어도 모르겠다고 여겨지는 것은 이번에는 포기하고 넘기는 수밖에 없다. 어느 정도 시간이 흐르면 자연스럽게 이해가 되기도 하지만 그렇지 못한 경우도 많다.

내 한계를 인정하고 이해되는 부분을 중심으로 계속 앞으로 나아가야 한다. 이것은 외국어를 배울 때도 마찬가지다. 어려운 부분은 흘러들으며 넘기고 계속 반복함으로써 이해 가능한 부분을 점차 내 것으로 만들어 나가다 보면 내 앎의 영토는 시나브로 넓어진다.

첫 술에 배불렀으면 하는 것은 모두 다 욕심에 지나지 않는다. 욕심도 있어야 하지만, 겸손한 마음으로 현실적인 전략을 취하는 것이 중요하다.

2.3 스터디/세미나 하는 방법

학기 중에는 뜻 맞는 사람들끼리 모여서 스터디나 세미나를
하게 된다. 스터디는 교재 하나를 정해 함께 공부해 나가는
것이고 세미나는 어떤 주제를 잡아 그에 대해 회원들이 돌
아가며 발표하고 의견을 주고받는 것을 뜻하기 쉽다. 그러
나 사실상 두 가지 모두, 정해진 교재 하나를 함께 독파해
나가는 것을 뜻하는 것으로 쓰이곤 한다.

많은 이들이 이러한 공동 학습에 대해 잘못된 인식과 태도를 가지고 있다. 그것을 일종의 품앗이로 생각하여, 정해진 책에 대해 장별로 한 사람씩 맡아 발표를 하고 다른 이는 그저 듣는 것이다. 주로 원서를 공부할 때 사전 찾는 게 괴로워서 이런 방식을 취하기 쉽다. 그러나 그렇게 공부해서는 실제로 머리에 남는 게 매우 적다.

제대로 하자면, 팀원들이 모두 다 해당 내용을 읽어 오고, 그날 발표할 사람은 그 장에 대해 이슈나 깊이 생각해 볼 사항들을 나름대로 찾아와 본인의 의견을 밝히고 다른 이들의 의견을 들으며 함께 이해를 높이는 것이어야 한다. 다시 말해, 그날 배울 내용은 발표를 준비하는 사람뿐만 아니라 모든 참석자들이 다 읽어 와야 한다는 것이다. 그래야만 무엇인가 이해할 수 있고 남는 게 있다.

그러나 거의 모든 이들이 제대로 읽지 않고 온다. 그래서 스터디에서 발언하는 이들은 매우 적고 발언하는 사람만 발언하게 되는 악순환이 되풀이된다. 처음 듣는 내용을, 제대로 소화해 오지도 못한 이에게서 듣는다고 무언가를 이해할 수 있을 거라고 기대해서는 곤란하다. 남들 공부하는 것 구경하는 것밖에는 안 된다.

매번 그렇게 제대로 스터디 준비하는 게 고통스러울 수 있지만, 그런 고통이 없으면 남는 보람도 없다.

2.4 혼자 공부하는 방법

수업을 듣고 스터디를 하면서도 자기만의 공부가 하고 싶어지게 된다. 수업이나 스터디는 남들도 모두 하는 것이고 그런 것들만 하게 된다면 결코 남들보다 앞설 수 없다는 생각에서 그럴 수도 있다. 아니면, 수업이나 스터디에서 다뤄지는 논저 이외에 관심이 가는 것이 더 있어서 그럴 수도 있다. 수업이나 스터디 하면서 내가 부족하다고 여겨지는 부분을 혼자 보충하거나, 아니면 그러한 지식을 뛰어넘어 더 깊이 더 멀리 공부하고 싶어서 혼자 공부하려고 하는 것일 수도 있다.

그런데 여기서 조언하자면, 가장 좋은 공부 방식은 수업 교재와 스터디 교재와 혼자 공부하는 책을 동일하게 만드는 것이다. 앞서 언급하였듯이, 이번 학기에는 내가 듣는 수업 3개의 교재 3권만 완전히 내 것으로 만드는 것이다. 그렇게 독파하면서 내 분야의 가장 중요한 지식들을 완전히 내 것으로 만들어 나가야 한다.

대학원에 들어와 적응하지 못하고 헛도는 가장 큰 이유는, 전공 분야의 기본 지식을 제대로 습득하지 못하고 계속 수박 겉핥기만 해서다. 기본적인 지식이란, 예컨대 국어학의 문법론이라면 형태소가 무엇이고 단어나 문장이 무엇인가에 관한 지식이다.

의미를 가진 가장 작은 언어단위가 형태소라는 정의만으로 형태소를 다 아는 것이 아니다. 진정으로 형태소를 알고 있다면, 주어진 어떤 글을 모두 형태소로 분석할 수 있어야 한다. 실제로 그렇게 공부하다 보면 형태소라는 것이 도대체 무엇이고, 왜 이제까지 그 대단하신 학자들이 헤매고 있는지를 여실히 알게 될 것이다.

그렇게 기본적인 개념이나 지식을 파고들어 배우게 되면 그 분야의 진정한 문제가 무엇이고 그에 관해 어떤 학설이 있는가를 알게 된다. 그리고 그러한 진짜 문제들 중에서 내가 풀어보고자 하는 문제가 무엇인지를 선택하게 된다. 드디어 진짜 연구 주제를 잡게 되는 순간이다.

2.5 과정 수료 후 공부하기

석사 과정의 경우에는 3학기를 끝내면 이수 학점을 거의 다 채우게 된다. 물론 다른 학과 수업을 열심히 들었다면 4학기까지 전공 학점 따느라 고생해야 한다. 박사 과정에서도 비슷하다. 그러나 석사 과정의 경우에는 대개 4학기에 학위 논문 심사를 받고 졸업하지만, 박사 과정은 학점을 채우고도 한참 뒤에야 박사 논문 심사를 받게 된다는 차이점이 있다.

학점을 모두 이수하면 의무적으로 수업을 듣는 것으로부터 벗어나게 되어 해방감을 느끼게 되지만 동시에 그런 자유로 인해 불안감이나 허탈감을 느낄 수도 있다. 이제 철저히 혼자 계획하고 공부해 나가야 하는 것이다. 그래서 학생들은 청강을 찾게 되는 것이다.

수강할 때처럼 3과목씩을 꼭꼭 채우는 게 아니라 한 학기에 한두 과목씩 정말 듣고 싶은 과목에 집중해서 청강할 수 있다. 앞서 말한 대로, 석사 과정의 경우에는 4학기에 석사 논문 심사를 받고 졸업하는 게 일반적이라서 과정 수료 후 그런 청강의 즐거움을 만끽할 여유는 별로 없다. 지금 얘기하는 것은 주로 박사 과정 수료생의 경우이다.

만약 제대로 된 계획 없이 수료를 하게 되면 정말 공부를 하나도 하지 않고 세월만 보내기 쉽다. 청강이든 스터디든 무언가 자신을 얽매어 둘 것을 찾아 그걸 통해서 계속 공부를 해 나가야 한다.

박사 과정 수료생일 경우, 이제는 남의 지식을 배우는 데서 끝나지 말고 자신의 지식을 세상에 선보여야 한다. 그래서 1년을 대략 두 시기, 혹은 세 시기로 나누어 연구하고 발표하는 사이클을 만들어야 한다. 이 과정에서 중요하게 떠오르는 것이 학술대회 참석이다.

학술대회는 공부하는 사람들에게는 마치 백화점이나 대형마트와 같은 것이다. 1년에 두 차례, 많게는 네 차례 열리는 학회의 전국학술대회에는 기획 발표와 일반 발표가 마련되어 있다. 기획 발표에서는 특정한 주제를 정해 그 분야의 핵심 연구자가 나와 강의를 한다. 그걸 통해 연구사와 핵심 이슈들을 챙겨 들을 수 있다. 마치 족집게 과외 같은 효과를 낸다.

일반 발표에서는 그 분야의 다양한 주제들을 기성학자나 대학원생들이 발표하고 토론한다. 본인과 비슷한 처지에 있는 이들이 발표에 임하는 모습을 보고 결의를 다지기에 참 좋다. 비슷한 또래나 큰 학자들과 만나 인연을 맺기에 정말 좋은 기회다.

외국에 나가서 케임브리지 대학과 같은 곳에서 열리는 세계적인 국제학술대회에 참석해 보고서 놀랐다. 국내에서 열리는 우리나라 학술대회도 그 수준이 결코 뒤떨어지지 않는다는 걸 체감했기 때문이다. 우리도 그들 못지않게 정말 잘하고 있다. 아니 어떤 면에서는 우리가 그들보다 더 조직적이고 체계적으로 진행하는 것 같다.

.

2.6 마무리

이상으로 대학원에서 공부하는 방식에 대해 살펴보았다. 무엇보다 중요한 것은 수업이나 스터디, 개인 공부 모두에서 본인이 배운 바를 기록으로 정리해 두는 것이다. 정리하지 않은 지식은 곧 사라지고 만다. 무언가를 시간과 공을 들여 정리하는 것 자체가 가장 중요한 공부이다.

정리한 내용을 다시 보지 않는 경우도 많다. 대개는 그걸 정리하는 과정에서 머릿속에 모두 저장해 버리기 때문이다. 제대로 정리한다면 그렇게 된다.

배운 내용 모두를 다 정리할 수 없다면 그중 가장 중요한 것 몇 가지만 정리한다고 생각하고 정리해야 한다. 선택과 집중이다. 정리되지 못하는 것은 버려질 수밖에 없다. 그렇게 무언가를 버리면서 동시에 정리해 가는 과정을 통해 지식이 쌓이고 주제가 잡히고 논문을 쓰게 되고 심사를 받게 되고 졸업을 하게 되는 것이다.

3. 대학원에서 논문 쓰기

3.1 학술지 논문에서 학위 논문까지

대학원에서 쓰는 논문은 크게 두 가지, 즉 학위 논문과 학술지 논문으로 나눌 수 있다. 둘 다 학술적인 글이라는 점에서는 공통적이지만 몇 가지 측면에서 다른 것도 사실이다. 그런데 중요한 것은, 학술지 논문을 쓰다 보면 어느새 학위 논문을 쓸 수 있게 된다는 것이다. 그러니 둘은 연속선상에 있는 것이라고 말할 수 있다. 이는 특히 박사 과정에서 더욱 그렇다.

석사 과정에서는 석사 논문 하나 쓰는 것만으로도 벅찬 게 사실이다. 보통 2년 만에 석사 논문을 쓰고 졸업을 하니 학술지 논문을 쓸 여유가 별로 없는 것이다. 수업을 3학기까지는 어느 정도 다 들어 두고, 마지막 학기에 전적으로 학위 논문에만 몰두하는 식이다.

그러나 박사 과정은 다르다. 수업을 3, 4학기 안에 다 듣고 나서도 한참이 걸려 박사 논문을 쓰고 졸업하기 때문이다. 국어국문학 같은 인문학의 경우 대략 5년은 넘어야 졸업을 하게 된다. 따라서 학위 논문 쓰기 전에 자연스럽게 학술지 논문을 한 편 이상 쓰게 된다. 본인이 쓰고 싶어서이기도 하고 때로는 학위 논문 작성 요건으로 요구되기도 해서다.

이렇듯 박사 과정에서는 학술지 논문 쓰기가 매우 중요하며 기본적으로 요구되는 사항인데 석사 과정에서도 불가능한 것은 아니다. 먼저 학술지 논문으로 기본을 잡아 놓고 그 위에서 석사 논문을 쓸 수도 있는 것이다. 그러기 위해서는 주도면밀한 기획과 많은 노력이 필요하다. 박사 과정의 경우, 학술지 논문들을 쓰다가 그것이 쌓이면서 어떤 경향성이나 흐름을 형성할 때 그것을 바탕으로 박사 논문이라는 큰 그림이 자연스럽게 그려질 수 있다.

3.2 주제 정하기

학술지 논문이든 학위 논문이든 먼저 주제를 잡는 게 중요하다. 무엇을 쓸 것인지 정해야 그다음 수순을 밟을 수 있는 것이다. 이런 이유로 대학원 면접 때 연구 계획이 매우 중요하게 여겨진다. 연구 주제가 확실하고 유망하게 정해진 이를 뽑으면 시행착오도 줄일 수 있고 그래서 교수와 학생 모두 수월하게 연구를 도모할 수 있는 것이다.

여하튼 연구 주제 선정이 중요하다는 것은 누구나 다 아는 일인데 막상 그것이 연구 현장에서는 쉽지 않다는 것도 사실이다. 그 이유는, 주제를 정하기 위해서는 무엇인가를 이미 좀 알고 있어야 하는데 연구 주제는 연구가 본격적으로 시작되기 전에 정하는 것이므로 결국 무엇을 잘 모를 때 연구 주제를 정하게 되는 것이기 때문이다.

일종의 역설에 가깝다. 이는 마치 인생에 대해 잘 모르는 시기에 자신의 꿈을 정하고 그 꿈을 이루기 위해 매진하려는 것과 같다. 세상에 어떠한 일과 직업이 있는지를 잘 알아야 본인이 어떤 직업을 가져야겠다고 잘 정할 수 있을 텐데, 현실적으로 그렇지 못한 어린 나이에 꿈이나 직업을 미리 정해야 하는 것이다.

이렇듯 주제를 정하는 것에서부터 난관에 봉착하게 된다. 시작이 반이라는 말이 실감 나는 순간이다. 그리고 이때 요구되는 마음 자세는 유연성이다. 내가 지금 정하는 주제가 반드시 끝까지 변함없이 유지되리라는 기대는 일찍부터 버리는 게 좋다.

쉽게 포기해서도 안 되지만, 무턱대고 고수하려 들기만 해서도 문제다. 연구 과정에서 연구 주제는 얼마든지 바뀔 수 있다. 그것은 당황스러운 일일 수는 있으나 창피한 일은 아니다. 처음에는 크게 잡았다가 작아질 수도 있고, 그와 반대로 시작은 작게 하였다가 점점 더 커질 수도 있다. 아니면, 처음과는 아예 다른 주제로 논문을 쓰게 될 수도 있다.

학술지 논문보다 학위 논문에서 더 그렇다. 그 규모와 복잡성 때문이다. 학술지 논문이 30쪽 전후라면 학위 논문은 100쪽 전후이다. 석사 논문이 그렇다. 최근 나의 어떤 지도 학생은 300쪽이 넘는 박사 논문을 썼다. 물론, 편집에 따라 수치의 비교는 다소 달라지겠지만 체감상 석사 논문은 학술지 논문의 서너 배 정도가 된다. 박사 논문은 다시 석사 논문의 서너 배 정도가 된다.

이렇듯 연구 주제가 바뀔 수 있다는 것을 안다고 해도, 아직 풀리지 않은 문제는 처음에 어떻게 연구 주제를 잡을 수 있느냐 하는 것이다. 운 좋게도 예전부터 마음속에 간직해 온 주제가 있을 수 있다. 또 1학기 어느 수업에서 갑자기 어떤 주제가 마음에 확 날아들 수도 있다. 처음부터 매우 구체적이고 확실한 것일 수도 있고, 처음에는 가물거리는 정도였지만 점차 구체화되어 하나의 연구 주제로서 손색이 없을 정도로 구체적으로 자랄 수도 있다.

그러나 불행히도 처음부터 줄곧 막막하기만 할 뿐 어떠한 영감도 힌트도 주어지지 않은 채 암중모색만 계속하는 자신을 발견할 수도 있다. 정말 암담한 경우이다.

이때 떠오르는 한 가지 사례는 다음과 같다. 공부를 꽤 잘하는 선배였는데 개론서의 색인을 검색하다가 마음에 드는 용어를 가지고 석사 논문 주제를 결정했다는 것이다. 그것도 좋은 방법일 수 있다. 마트에서 물건을 고르듯 내 마음을 끄는 용어를 색인에서 몇 개 발견하고 그것을 책의 본문에서 일일이 찾아 어떤 내용인지 구체적으로 사례를 살피고 저울질해 보는 것이다.

또 하나는 학술대회에 참석하여 발표들을 들어보는 것이다. 기획 발표에서는 그 분야 전문가가 연구사를 훑거나 최신 동향 및 연구 주제들을 소개해 주기도 한다. 또한 개인 주제 발표에서는 다양한 연구자들이 독특한 연구 주제를 들고 나와 해당 연구의 흐름과 본인만의 개성 넘치는 연구 주제를 뽐내기도 한다.

연구 주제는 누가 독점할 수 있는 것이 아니어서 비록 몇 편의 논문이 나와 있다고 해도 얼마든지 내가 관심만 있다면 그 주제에 뛰어들 수 있다. 경우에 따라서는 거의 동일

한 연구 주제로 같은 시기에 여러 편의 학위 논문이 통과되기도 한다. 주제가 같아도 결론은 제각기 달라지기 때문이다.

3.3 선행 연구 검토 및 문제 제기

본래부터 본인이 염두에 두고 있었던 것이거나 강의나 학술 대회에서 접한 경험을 통해 얻은 것이거나, 그렇게 연구 주제가 결정되고 나면 이제부터 본격적인 연구를 진행해야 한다. 본격적인 연구의 첫 단추는 선행 연구 검토이다. 즉, 연구 주제와 관련된 기존의 논의들을 찾아 읽는 것이다.

단순히 읽는 것이 아니라 철저히 이해해야 하고 비판해야 하고 그래서 그 논문의 의의와 한계를 모두 짚어내야 한다. 대학원생이 좌절감을 강하게 느끼게 되는 순간이다.

첫째, 읽었는데 이해가 되지 않는 것이다. 과연 이 글이 한국어로 쓰인 것인지 의심스러울 정도로 정말 한 줄도 제대로 이해가 되지 않는 것이다. 놀라운 순간이며 내가 맞지 않는 길을 걷고 있는 건 아닐까 스스로 회의감에 깊이 빠지기 쉬운 경우이다.

둘째, 이해는 어떻게 되었는데 그 논문이 너무나 잘 쓰여있어서 더 이상의 연구는 필요가 없을 것 같다고 느껴지는 것이다. 이미 이 사람이 이 주제와 관련해서는 끝장을 내었는데 나 같은 풋내기가 감히 무엇을 얼마나 더 기여할 수 있을까 하는 강한 회의감과 자괴감이 드는 것이다.

셋째, 이해도 되었고 문제점도 발견되었는데 대안이 떠오르지 않는 것이다. 대안 없는 비판에 그친 것을 논문이라 인정해 주지는 않는다. 문제 제기가 있으면 반드시 해결 방안이 제시되어야 한다.

연구 주제를 잡고 그에 관한 본격적인 연구의 시작으로 선행 연구 검토를 이야기하였고 그와 관련하여 세 가지 장벽을 언급하였다. 첫째, 이해가 되지 않는다. 둘째, 문제점이 보이지 않는다. 셋째, 대안이 없다.

이해가 되지 않으면 이해될 때까지 읽어야 한다. 읽고 또 읽으며 이해를 구해야 한다. 선배나 교수님께 질문할 수도 있다. 그러나 모르는 게 나올 때마다 물을 수는 없다. 또 논문이나 책 한 권을 다 물을 수가 없다. 결국에는 나 자신이 처음부터 끝까지 해당 문헌을 계속 읽으며 이해해 나가야 한다.

여기서 중요한 것은 처음부터 모든 것을 다 이해할 수는 없다는 것이다. 이해되는 부분부터, 그러한 부분에 의지하여 아는 부분을 점점 더 넓혀 나가야 한다. 반복해서 읽는 노력이 절실히 요구된다.

자신의 인내심이 바닥을 보이는 것을 여러 번 느끼게 될 것이다. 그리고 어느 순간 이해가 되어 놀랄 것이다. 마치 도미노처럼 연이어 다른 부분들로 이해가 되기 시작할 때의 희열이란 이루 다 말할 수가 없다. 고생 끝에 낙이 온다는 말이 실감이 날 것이다.

그리고 무언가를 이해한다는 것이 이토록 어려운 일이구나 하고 깨달을 것이다. 그리고 그러한 생각을 일구어 낸 글쓴이가 정말 위대해 보일 것이다.

이제 두 번째 단계로 접어들어야 한다. 비판적 검토이다. 선행 연구의 의의와 한계를 짚어내야 한다. 그 논문에서 의의만 발견될 뿐 한계가 보이지 않는다면, 끝끝내 보이지 않는다면 포기하는 수밖에 없다. 그러나 포기하기에는 늘 이르다.

사람은 완벽하지 않다. 사람이 완벽하지 않으니 그가 쓴 논문도 결코 완벽할 수가 없다. 나의 오랜 학문적 이력 속에서 이 생각은 언제나 옳았고 앞으로도 계속 그럴 것이다. 연구자는 매번의 연구에서마다 그것을 구체적으로 이끌어 내야 한다. 그 순간 학문의 진보가 이루어지는 것이다.

나 역시 박사 과정 시절 어떤 논문 하나를 붙잡고 한 달 동안 읽으며 그 한계를 이끌어 내고자 노력한 때가 있다. 국내의 대학자이고 도무지 찔러도 피 한 방울 나오지 않을 것만 같은 철저한 논문이었는데 한 달이 거의 다 되어 가는 어느 시점에서 그 논문은 그만 와르르 무너지고 말았다. 아직도 그 순간이 기억에 생생하다.

대가들도 생각의 한계가 있기 마련이고 후학들은 대가들이 모르는 새로운 지식을 바탕으로 선배의 생각이 가진 한계를 찾아낼 수 있는 것이다. 그만큼 어렵지만 그만큼 짜릿하다.

3.4 해결 방안 제시

이제 세 번째 단계로 접어들 차례이다. 선행 연구들에서 문제점들을 찾아내었다면 이제 그 대안을 스스로 제시할 수 있어야 한다. 앞서도 말했지만, 문제점을 찾아 지적하는 것만으로는 논문이 되지 않는다.

논문은 크게 두 부분으로 구성된다. 문제 제기와 해결 방안. 학술적 글쓰기의 모든 경우에 이러한 공식은 통한다. 더 나아가 모든 글은 어떤 물음에 대한 대답이다. 그 글에서 던지고 있는 문제와 그에 대한 대답을 찾을 수 있어야 한다. 제목이라고 하는 것이 바로 그 텍스트의 물음이다. 가령, 어떤 책의 이름이 '언어학 개론'이라면 그 책은 '언어학이란 무엇인가?'라는 물음에 대한 대답인 것이다.

두 개의 단계를 거쳐 이제 해결 방안의 제시라는 마지막 단계에 접어들었다. 가장 창의성이 요구되는 시점이다. 그리고 이 순간 또 한 번의 거대한 좌절감을 맞보게 된다. 아니, 대가들도 모를 것 같은 문제에 대해 감히 나 같은 하룻강아지가 뭘 안다고 그에 대한 답을 제시할 수 있다는 말인가? 정말 이렇게 학문은 어렵다는 말인가?

물음이 클수록 그에 대한 답도 클 수밖에 없다. 그리고 모든 답은 이미 문제에 담겨 있다는 것도 잊지 말아야 한다. 그리고 여기서도 정공법이 필요하다.

거대한 대답을 내놓을 준비가 되어 있지 않다면 논문에서 연구 목적을 크게 잡지 말아야 한다. 비록 선행 연구 검토에서 여러 가지 문제와 한계를 발견했다고 해도 그중 내가 해결할 수 있는 문제가 무엇인지에 대해 분명하게 밝히고 그것에 초점을 두어 논문을 전개하며 해결 방안을 제시해야 한다. 문제들이 무엇인가를 다 알지만 나는 이것에 대해서만 대안을 제시해 보기로 한다고 분명하고 겸손하게 진술해야 한다. 결국은 그런 얘기인데 뭔가 큰일을 해 내는 것처럼 떠벌려서는 곤란하다. 아는 사람은 다 안다. 그리고 분명히 나중에 본인 스스로가 후회하게 된다.

작은 문제이든 큰 문제이든 그 해결 방안을 찾기 위해 먼저 들여다보아야 할 것은 바로 문제 자체이다. 문제 자체에 힌트나 답이 숨어 있는 경우가 정말 많다. 그런데 그게 정말 잘 안 보인다. 아마도 욕심이 마음의 눈을 가려서 그럴 것이다.

모든 것을 내려놓고 처음으로 돌아가 마치 어린아이와 같은 심정으로 문제 자체를 바라보면 의외로 문제가 쉽게 풀리는 경험을 적지 않게 했다.

그리고 문제를 정면에서 응시하고 돌파하려는 노력을 해야 한다. 모로 가도 서울만 가면 된다는 심정으로 이 길 저 길 다녀보아도 결국에는 정공법이 가장 좋은 해결책이라는 것은 분명하다.

3.5 학술지 논문 쓰기

학술지 논문이든 학위 논문이든 연구 주제를 잡고 선행 연구를 검토하며 해결 방안을 제시하는 것은 동일하다. 다만 그 규모에서 학술지 논문이 학위 논문보다 작다는 차이는 있다.

학술지 논문을 투고하기 위해서는 먼저 학술지를 발행하는 학회에 회원 가입을 해야 한다. 요즘은 즉각 입회 허가를 해 주는 편이지만 때로는 오래 걸리거나 교수님의 추천을 요구하는 경우도 있다. 해당 분야에서 권위를 가진 학술지일수록 더욱 까다로울 수 있다.

요즘처럼 정부에서 등재지니 등재 후보지니 하면서 학술지를 규격화하기 전에는 정말 학계에서 자연스럽게 권위를 가지게 된 학술지들이 있었다. 전 세계적으로 권위를 인정받는 학술지가 있듯이, 국내에서도 분야마다 최고의 권위를 자랑하는 학술지들이 있었다. 비록 요즘에는 그런 권위가 많이 희석되었다고 해도 여전히 전통을 지닌 학술지들이 전공마다 있다.

처음 논문을 투고할 때부터 이런 권위 있는 학술지에 투고할 필요가 있다. 처음 논문을 투고하니 떨어져도 당연하다는 심정으로 말이다. 가진 게 없으니 잃을 것도 없다. 교수가 되어 가진 게 많아지면 잃는 게 무척 두려워진다. 무엇보다 자존심이다. 학문에서 버려야 할 것 중에 으뜸이 자존심이다. 자존심 때문이 무엇을 받아들이는 것도, 무엇을 버리는 것도 쉽지 않다.

학술지 가입을 하고 학술지에서 정한 투고 방식을 준수하여 서식에 맞게 작성하여 투고를 한다. 학문 분야마다 다를 수 있겠지만 국어국문학 분야에서는 두 달 내외의 심사 기간을 거친 후 심사 결과가 통보된다. 게재가, 수정후 게재가, 수정후 재심사, 게재 불가.

아무런 수정 없이 곧장 게재가 가능하다는 게재가, 일부 주변적인 수정이 이루어지고 난 후 게재가 가능하다는 수정후 게재가, 근본적인 문제를 고친 후 다시 심사를 하여 게재 여부를 가려야 한다는 수정후 재심사, 논문을 전반적으로 다시 쓴 후에 다음 호에 투고하라는 게재 불가 혹은 논문 반려.

게재가는 극히 드물고, 대개 수정후 게재를 받으면 잘한 것이다. 이 두 가지 모두 당해 학술지에 게재된다. 그러나 수정후 재심사의 경우는 이번 학술지 게재가 어려울 수 있다.

게재 불가는 해당 학술지에 영영 신기가 어려울 수도 있다. 아니 어떤 다른 학술지에서도 받아주지 않을 확률이 높다. 왜냐하면, 논문 심사에는 보통 3명의 익명의 심사자를 정하게 되는데, 이들은 대체로 투고 논문의 참고 문헌에 등장하는 주요 연구자일 확률이 높기 때문이다. 논문의 내용이 바뀌고 그래서 참고 문헌의 목록이 대폭 바뀌기 전에는 심사 위원도 교체될 가능성이 매우 희박하다.

탁월한 내용의 논문이라면 대개 게재가 판정을 받아 쉽게 실릴 수 있을 것이다. 그러나 이때 탁월하다는 것이 무엇을 뜻하는 것인지에 대해서는 이견이 있을 수 있다. 학술지에 무난히 실릴 수 있는 논문은 그것이 해당 분야에서 큰 문제 없이 받아들여질 만하다는 것을 의미한다.

만약 해당 분야의 틀을 깨고 새로운 대안을 제시하는 논문은 어떨까? 결코 게재가 쉽지 않을 것이다. 놀랍게도 학계는 그런 논문을 쉽게 받아들여 주지 않는다. 기존의 논의를 잘 이해하지 못했다고 하거나, 주장이 충분히 검증되지 않았다고 하거나, 아예 처음부터 뭔가 잘못된 논문이라고 하거나 하여, 결국에는 게재 불가 판정을 내리기 쉽다.

토마스 쿤(Thomas Samuel Kuhn)이 『과학 혁명의 구조』라는 책에서 제안한 패러다임이라는 개념을 통해 그것을 잘 설명해 볼 수 있다. 모든 학문의 분야마다 당대의 주류적인 시각, 즉 패러다임을 가지게 되는데, 그런 패러다임의 울타리 안에서 착실하고 안전하게 작성된 논문들은 환영을 받는다. 그러나 그런 패러다임에 도전장을 던지거나 근본적인 문제를 아프게 지적하고 새로운 패러다임을 제시하는 논문이라면 그것은 기존의 패러다임이 장악하고 있는 주류 학술지들에 실리기가 매우 어렵다.

정말 획기적인 생각을 가진 논문, 기존의 패러다임을 깨고 그것을 대신할 새로운 패러다임을 제시하는 논문, 그것은 어쩌면 영영 세상의 빛을 보지 못하게 될 수도 있다. 20세기를 구조주의 시대로 물들인 현대 언어학의 아버지 소쉬르(Ferdinand de Saussure)는, 자신의 혁명적인 제안을 오직 강의에서만 설파하였을 뿐, 논문이나 책으로 세상에 내놓지 못하고 눈을 감았다. 수업을 들은 제자들이, 그 아이디어들이 새롭고 아까워 그의 사후에 유고로 낸 책이 세상을 뒤바꾼 것이다. 그토록 학계는 보수적이다. 엄격한 검증이라는 미명 아래 그렇게 참신한 수많은 아이디어들이 사장되었을 것이다.

이 글을 읽는 이들 가운데 그런 놀라운 생각을 가진 이가 있다면 결코 좌절하지 말라는 말을 하고 싶다. 그리고 이렇게 조언해 주고 싶다. 우선은 기존의 패러다임에 걸맞은 논문을 쓰라. 그리고 힘을 가졌을 때 세상에 그런 새로운 아이디어를 과감히 내놓으라. 처음부터 그런 생각을 내놓을 경우 곧장 꺾일 수밖에 없는 게 현실이기 때문이다.

내가 석사 1학기 기말보고서에서 제안했다가 담당 교수님께 호되게 야단을 맞아 나 스스로 접어 버린 생각이, 20년 뒤에 언어학의 주류적 시각이 되어 버린 뼈아픈 경험이 있다.

그때 어린 마음에 그 소중한 생각을 접어 버린 것이 못내 아쉽고 안타깝다. 아직도 그때 제출한 기말보고서를 간직하고 있다.

3.6 학위 논문 쓰기

앞서도 말한 바와 같이 학위 논문은 학술지 논문보다 분량도 많고 깊이도 깊다. 그리고 학술지 논문이 바탕이 되어 학위 논문이 이루어지기도 한다. 상대적으로 그리 쉽지는 않지만, 석사 논문도 학술지 논문을 바탕으로 쓸 수 있다. 방법론 위주로 학술지 논문을 쓰고, 그런 방법론 위에 더 많은 자료를 넓고 깊이 다룬다면 가능하다. 물론 자기 표절에 걸리지 않기 위해 자신의 논문일지라도 그것을 학위 논문에 선행 연구로 인용하며 기술해야 한다.

박사 논문은 대개 석사 논문을 서너 개 모아 놓은 정도이다. 폭도 넓을 뿐만 아니라 깊이도 매우 깊다. 서론과 결론을 제외한 나머지 본문들의 한 장 한 장이 석사 논문 한 편에 맞먹는 수준이다. 그런 장과 장을 하나의 주제로 일관성 있게 작성해 나간다는 것은 여간 어려운 게 아니다. 그러니 멋진 박사 논문을 써야겠다는 생각보다는 일관성을 지니는 박사 논문을 작성하겠다는 겸손한 마음이 필요하다. 왜냐하면 그렇게 긴 글에서는 한 부분을 바꾸면 곧장 다른 부분이 영향을 받기 때문이다. 마치 퍼즐 맞추기처럼 한쪽을 잘 수정해 놓으면 다른 부분들이 계속 틀어지게 된다.

모든 문제가 해결되리라 기대하지 않는 게 좋을 것이다. 논문 전체에서 발견되는 비일관성이나 문제점들을 최대한 줄여 보고 그래도 남는 부분이 있으면 솔직하게 그것을 학위 논문의 맨 끝의 결론 마무리 부분에 적어 놓아야 한다. 그래야 나중에 다른 이들이, 저자는 그 문제를 모르고 있었다는 뼈아픈 지적을 하지 않게 된다. 약점을 밝히지 않으면 약점이 되지만, 약점을 분명히 밝히는 순간 그것은 저자의 학문적 엄격함과 세밀함이요 향후 연구 과제의 선점이 된다.

학술지 논문 쓸 때와 학위 논문 쓸 때 분명히 달라야 하는 것이 있다. 학술지 논문에서는 멋을 부릴 수 있지만, 학위 논문에서는 그러지 말아야 한다는 것이다. 학술지 논문은 비교적 가볍고 단편적인 주제를 번뜩이는 재치로 경쾌하게 쓸 수 있지만, 학위 논문은 유장하고 무거운 주제를 매우 신중하고 건조하게 다루어야 하기 때문이다.

대학에서 교수를 뽑을 때 가장 기본적으로 보는 것이 지원자의 학위 논문이다. 특히 박사 논문은 해당 분야의 어떤 주제를 얼마나 깊이 있게 다루었는가를 본다. 많은 박사 과정 학생들이 본인의 박사 논문에 여러 가지 분야의 색깔을 입히려고 하는데 나는 절대 반대이다. 박사 논문은 반드시 어떤 전공 분야를 직접적으로 드러낼 수 있어야 한다.

보통의 경우, 학과에서 교수를 뽑을 때에는 해당 전공 교수가 없어서 뽑는다. 그 말은 심사하는 교수들이 본인이 전공하지 않는 분야의 교수를 뽑게 됨을 의미한다. 따라서 비전공자들에게도 그 사람의 박사 논문은 정말 그 분야의 박사 논문이 맞다는 확신을 줄 수 있어야 한다. 박사 논문의 주제와 제목이 분명하지 않고 선명하지 않으면 임용 심사를 하는 교수들에게 확신을 주기 힘들다.

다양한 분야에 관심을 가지고 있다면 그런 주제들은 학술지 논문으로 쓰고, 학위 논문은 본인의 전공이 무엇인지를 확실하고 분명히 드러낼 수 있는 주제로 써야 한다.

3.7 마무리

예술 작품은 그것만의 고유함과 독창성을 생명으로 한다. 논문도 마찬가지이다. 그것이 학술지 논문이든 학위 논문이든 그것은 세상에 없던 생각을 그 안에 지니고 있어야 한다. 새로운 생각을 잘 길러 그것을 글에 담아 객관적인 심사 과정을 거쳐 그 독창성과 객관적 타당성을 인정받아 세상에 나오게 된 것이 바로 논문이다.

따라서 논문 한 편을 쓴다는 것은 새로운 것을 창조하는 것이다. 그것은 새로운 개념일 수도 있고, 새로운 세계일 수도 있다. 전에 없던 것이 나의 논문에서 새롭게 피어나 학계로, 세상으로 비상하는 것이다. 그것이 순수한 학문의 영역을 넘어서 세상으로 응용되어 일상의 삶을 촉촉이 적실 수도 있다.

결과를 생각하면 과정이 힘들어진다. 오로지 순수한 마음으로 본인이 흥미 있게 여긴 주제를 깊이 있게 천착하여 하나의 생명력을 가진 논문으로 온전히 길러 내야 한다. 그래서 논문은 작품이다.

내가 박사 논문 심사를 받는 해에 어머니께서 설에 세배를 한 나에게 우리 아들, 작품 하나 멋지게 만들어 봐 하고 덕담을 해 주셨는데 그 말씀이 얼마나 고마웠는지 모른다. 아, 우리 어머니는 내 박사 논문이 내 작품이라는 것을 알고 계시는구나. 내가 정말 그것을 작품으로 여기고 창작해 내는 것을 알고 계시는구나.

내 박사 논문이 어떤 학회에서 총서로 지정되어 책으로 나왔을 때 어머니는 그 책을 소리 내어 읽으셨다. 아들이 썼다는 그 이유 하나만으로 읽고 또 읽으셨다.

잠도 자지 않고 제대로 먹지도 못하고 생계를 꾸려나가기 위해 처절하게 몸부림치면서도 하나의 작품을 빚어내리라는 것을 그때 그렇게 미리 아셨던 것이다.

4. 대학원 졸업하기

4.1 입학에서 졸업까지의 일련의 절차

대학원의 시작과 끝, 입학에서 졸업까지 한번 전체적으로 짤막하게 요약해 볼 시점에 왔다. 제일 먼저 면접 준비이다.

대학원 면접 준비라고 하면 매우 막연하게 생각되기 쉽다. 그러나 구체적인 연구 주제를 생각하고 그와 관련한 선행연구를 파악하여 의의와 한계를 짚어내고 앞으로 자신만이 구축하고 싶은 아이디어를 마련하면 된다. 검증은 대학원 들어오고 나서 하는 것이고 우선은 싱싱한 착상이나 발상이 중요하다.

대학원 면접 준비 이후에는 면접을 보는 단계가 주어진다. 어느 일에서든 면접은 떨리고 무섭고 어려울 것이다. 그러나 이러한 통과의례는 불가피하다. 입학하면 나를 가르쳐주실 분들이라는 마음으로, 새로운 가족을 먼저 만나보는 심정으로 임하면 어떨까 싶다.

이제 입학을 하고 나서 수업을 듣고 졸업 이수 학점을 채우게 된다. 대학원 시절의 꽃은 논문 쓰기와 함께 역시 수업 듣는 게 아닐까 한다. 수강을 통해 교수님들의 강의를 듣고 그분들의 인생과 학문에 푹 빠질 수도 있으며 압도적인 학문의 깊이와 폭을 느껴볼 수도 있다. 내가 원하는 길을 먼저 걸어간 분들의 이야기는 내 당장의 삶에 지침이 되어 줄 수 있다.

아울러, 함께 공부하는 사람들, 동기와 선후배들과의 만남도 빠질 수 없다. 어차피 인생은 모두 사람 사이의 일이다. 아무리 소심하고 내성적인 사람이라도 동료들과의 소통은 불가피하다.

정말 뜻이 맞는 사람을 만나는 건 어디서나 어려운 일. 그러나 가능할 수도 있다. 나는 수업 들으면서 만난 교수님들을 그러한 친구로 삼게 되었다. 그분들은 학문의 스승이자 친구들이었다. 물론 내가 깍듯이 그분들을 모셨지만, 그분들도 너그러운 마음으로 나를 학문의 세계로 이끌어 주셨다. 교수님을 친구로 둘 수만 있다면 정말 많은 것을 배우고 얻을 수 있다. 그때 들은 말씀과 가르침이 지금 내 학문의 살이 되고 뼈가 되어 있다.

이제 학위 논문을 쓰고 졸업을 해야 한다. 학위 논문 심사 이전에 예비 발표가 있다. 그때 논문의 반 이상이 완성되어 있어야 한다. 최종 결론은 아직 나와 있지 않더라도 일단 제목과 주제, 선행연구 검토와 문제 제기, 연구 방법과 그것의 실제 적용 결과 일부는 제시되어 있어야 한다. 우선은 지도교수님께 허락을 받아야 하고, 그다음 예비 발표에서 통과되어야 하고, 최종적으로 석사는 3인, 박사는 5인의 심사를 무사히 통과해야 한다.

석사 논문 심사는 1심으로 끝나는 게 대부분이지만, 박사 논문은 2심 이상이다. 학위 논문 심사에서는 지도교수님은 당연히 들어오시고 석사에서는 대개 같은 학과 전공 교수님 두 분이, 박사에서는 외부 대학 교수님이 한두 분 더 들어

오신다. 연구 주제와 밀접한 전문가를 모셔 오는 게 중요하고도 어려운 일이다. 그분들께 인정을 받는다면 더할 나위없다. 학위 논문 심사는 대개 1학기에는 6월 초, 2학기에는 12월 초에 마무리된다. 학위 논문 최종본은, 심사 완료 후한 달 이내에 제출해야 한다.

이상의 내용 중 빠진 것이 하나 있다. 학위 논문 심사 전에 필히 통과해야 하는 종합시험, 줄여서 종시다. 이건 해당 분야에서 반드시 알아야 할 전공 지식을 테스트하는 필기시험이다. 의외로 이 문턱에 걸리는 경우가 적지 않다. 그러나반드시 거쳐야 하는 통과의례다. 대개의 경우, 정해진 수험서들이 있다. 완전히 내 것으로 만들어야 하는 지식이다.

4.2 학위 논문은 몇 부나 찍을까?

이제 학위 논문은 몇 부나 찍어야 하는지 등의 구체적인 사항들에 대해 잠깐 살펴보기로 한다.

학생들은 대개 학위 논문의 부수에 대해서는 크게 고민하지 않는다. 심사해 주신 교수님들과 가족, 지인들에게 줄 요량으로 대개 20~30부 정도 찍는다고 생각한다. 석사가 대개 그렇고 박사는 그보다 한두 배 많을 것이다.

그러나 나의 경우를 말한다면, 석사 때는 150부, 박사 때는 250부 정도 찍었다. 이런 말을 하면 학생들은 놀란다. 왜 그렇게 많이 찍었냐고.

여기서 한 가지만 제대로 알아둘 필요가 있다. 학위 논문은 공부하는 사람에게는 일종의 명함 같은 것이다. 사람들이 만나 통성명하고 나서 명함을 주고받듯이, 학자들은 만나 서로의 학위 논문을 주고받는다. 정확히 말해, 학위 논문 최종본을 학교에 10부 가까이 제출하고 나서, 나의 연구와 관련하여 논문에 인용된 분이나 학계의 중요한 학자들에게 부치게 된다. 학문적인 연구 업적이므로 학계에 나의 연구 결과를 알리는 것이다.

학자는 논문으로 말한다. 따라서 학위 논문은 학자로서의 나의 얼굴인 셈이다. 연구자의 얼굴에 해당하는 학위 논문을 몇 십 부 제본하여 심사위원과 가족, 일가친척, 지인들 몇 명에게 나누어 준다는 생각은 정말 너무나 소박하고 안이한 생각이다. 비록 석사만 하고 졸업한다 해도 학계의 관련 인사들에게 보내드리는 것이 연구자로서의 권리이자 의무이다.

학위 논문은 취직을 할 때에도 가장 중요하게 쓰인다. 대학원에서 발급해 주는 졸업증명서도 중요하지만, 석사 논문과 박사 논문 자체는 더 중요하다. 대학 교수 임용 지원에서는 더 이상 말할 것도 없다. 학위 논문의 제목과 내용 자체가 그 사람의 진짜 전공이 무엇인가를 즉각적으로 보여준다. 요즘은 박사 논문의 경우 졸업한 지 오래지 않아 책으로 내는 경우도 적지 않다. 그걸 감안한다면 박사 논문 부수를 좀 줄일 수는 있을 것이다.

4.3 석사만 할까, 박사도 할까?

이 문제는 당장 돈과 시간이 드는 사안이므로 가볍지 않다. 대학원 등록금은 학부 등록금보다 비싸면 비쌌지 결코 싸지 않다. 그리고 석사 기간이 빠르면 2년인데 비해 박사 기간은 빨라도 5년이다. 잠시 생각을 놓고 있으면 10년을 훌쩍 넘기기 쉽다.

1980년대까지는 석사 학위만 있어도 교수가 되었다. 그래서 가끔 대학 교정에 어느 학과 어느 교수님이 박사 학위를 받으셨다고 플래카드가 걸리기도 했다. 석사를 하고 대학원 박사 과정을 수료한 채 일단 교수가 되고, 그 이후 교수로서 살아가다 박사 학위를 취득하는 것이 이상한 일이 아니었다. 경우에 따라서는 박사 학위가 없는 채로 교수 생활을 마감하는 경우도 있었다.

그러나 요즘은 시대가 달라져 이런 일은 상상도 하지 못한다. 박사 학위가 없으면 교수 임용 지원 자체가 불가능한 시절이 되었다. 석사는 양산되고 박사 또한 많이 배출되기 시작하면서 만들어진 분위기이다. 예전에는 학계에 획을 긋는 석사 논문이 적지 않았는데 요즘은 박사 논문에서도 그런 것을 찾아보기 힘들다.

교수를 희망한다면 반드시 박사를 해야 한다. 그러나 공부만 하고 싶다면 반드시 박사를 해야 하는지는 의문이 들 수 있다.

4.4 대학원 꼭 가야 하나?

더 근본적으로 대학원이란 데를 꼭 가야 하는지를 생각해 볼 수도 있다. 대학원에 지원하기 전에, 아니면 대학원 다니는 가운데서도 왜 대학원에 가야 하는지를 심각하게 고민해 보아야 한다. 단지 배우는 게 좋아서라면 굳이 대학원에 갈 필요는 없을 것 같다는 게 내 생각이다.

대학원에 가면 교수님들의 강의를 직접 들을 수 있고 동료들과 함께 연구 생활을 할 수도 있겠지만, 현실은 기대와 많이 다르다. 교수님들과의 많은 소통을 기대한다면 실망하기 쉽다.

일단 교수님들이 너무 바쁘다. 강의도 많고 연구도 많이 해야 한다. 강의 시간 내에서조차 학생들과의 질의응답 기회는 매우 적다. 강의 끝나고 나서 쉬는 시간에 복도에서 혹은 연구실로 직접 찾아가 이야기 나누고 싶어도 다음 강의하러 혹은 들으러 가느라 이야기 나누기 힘들다.

아무 때나 교수의 연구실을 찾아가기도 쉽지가 않고 미리 면담 날짜를 잡는 것도 꽤나 어렵다. 지도학생이 지도교수와 면담하는 것도 쉽지 않은 상황에서, 수강생이 교수와 만나 이야기 나누는 것은 오죽하겠는가.

교수님을 만나 인생 얘기를 나누는 것도 낭만적이겠으나 현실에서는 그럴 여력이 별로 없다. 전공 영역의 이야기 나누기에도 바쁘니 말이다.

대학원에 들어가도 대개의 경우는 책을 가지고 혼자 공부하게 된다. 수업 준비도 혼자서, 수업도 사실상 혼자서, 수업 듣고 정리하는 것도 혼자서, 기말보고서도 혼자서, 학위 논문 예비 발표도 혼자서 하고, 학위 논문 심사도 혼자 들어가서 받고 나온다.

대학원에 혼자 들어가서 혼자 걸어 나오는 것이다. 그 과정에서 많은 사람들을 만나겠지만 과연 그러한 만남이 나의 공부에, 나의 인생에 얼마나 어떻게 영향을 줄 것인가에 대해서는 심각하게 고민해 볼 필요가 있다.

물론 학위를 따서 취직을 하는 데 쓰려는 목적이라면 이러한 고민은 더 이상 필요 없을 것이다. 그러나 진정 공부하고 싶어서라면 얼마든지 혼자서 할 수 있는 길이 열려 있다. 책과 논문도 서점과 인터넷을 통하여 구입할 수 있다. 요즘은 유튜브와 SNS를 통해 정말 수준 높은 강의들과 콘텐츠들을 많이 접할 수가 있다.

영국의 유수한 대학의 대학원에서 어느 교수가 한 말이 기억난다. 대학원 등록금의 상당 부분이 수업 시간에 제시되는 참고 문헌에 관한 정보라고. 그러나 그러한 참고 문헌 목록은 모두 시중 서점에 나와 있는 책에도 들어 있다. 그 교수의 생각이 궁금하면 그가 쓴 책을 찾아 읽으면 된다.

강의를 한 번 듣는다고 그 내용을 곧바로 이해할 수 있는 것은 아니다. 오히려 여러 번 보고 이해할 수 있도록 되어 있는 책이나 유튜브 강의가 훨씬 더 유용할 수가 있다. 현대 언어학의 대가인 촘스키(Noam Chomsky)는 '전문가'라는 말을 매우 싫어한다. 누구나 그 방면에 관심이 있으면 책을 통해 해당 내용을 보고 이해하고 배우면 되기 때문이다. 전문가와 비전문가의 구별이 더욱 더 약화되어 가고 있는 시대에 우리는 살고 있다.

4.5 마무리

이상으로, 대학원 면접 준비에서 졸업까지 몇 단계로 나누어 살펴보았다. 군데군데 추가하거나 보충하고 싶은 얘기가 아직도 많다. 그러나 그동안 대학원에서 가르치면서 학생들에게 꼭 해 주고 싶은 말의 핵심은 어느 정도 전달되지 않았을까 한다.

우선 왜 대학원에 다니고 싶은지에 대해 스스로 깊이 생각해 보기를 권한다. 공부 자체가 좋아서라면 굳이 대학원에 가지 않고서도 공부할 수 있는 방법이 매우 많다. 그러나 학위가 필요하다면, 학계에 진출하여 그것을 업으로 삼고 싶다면 대학원은 필수이다. 그리고 그렇게 하려면 면접 준비부터 제대로 해야 한다.

대학원에서는 교수의 마음을 사로잡는 것이 매우 중요하다. 수업 시간 특히 발표 때 보면, 발표하는 학생은 다른 수강생들의 눈치를 보느라 여념이 없다. 학생이 동료 학생들에게서 인정받고 싶은 심정은 충분히 이해한다. 그러나 정말 인정받아야 하는 것은 교수에게서다. 교수의 마음을 사로잡아야 학문의 길에서 배울 수 있는 게 많다.

수업 시간에 정말 열심히 임하며 깊이 있는 질문을 하는 학생은, 교수가 눈을 동그랗게 뜨고 보지 않을 수 없다. 아직 배우는 과정에 있어 학식은 좀 모자랄지라도 학생의 열정과 지혜, 성실함만은 교수 못지않을 수 있다. 열심히 하는 학생은 열심히 하는 학생을 부르고 그런 학생을 찾는 교수를 부른다.

그래서 교수가 이끄는 연구 모임이나 세미나 같은 곳에 참여하게 되면 신세계가 열린다. 그때서야 비로소 교수와 학문을, 인생을 논할 수 있게 된다. 나는 대학원 시절을 겪으며 몇 분 교수님들과 그러한 교제를 나눌 수 있었다. 그로 인해 얼마나 많은 것을 배울 수 있었는지 모른다.

가르치면서 배운다는 말이 있다. 교수는 함께 연구할 학생들을 늘 찾는다. 교수의 생각을 듣고 비평해 줄 학생을, 교수와 함께 새로운 연구를 개척할 학생을 늘 찾아 헤맨다. 교수의 연구를 돕거나 혹은 함께 연구를 진행하면서 정말 많은 것을 배울 수 있다.

그분이 꼭 나의 지도교수님이 아니어도 좋다. 소속 학과나 대학이 다를 수도 있다. 지도교수는 한 분이시지만, 그렇게 학문적인 교제를 나눌 수 있는 분은 많이 계실 수 있다. 모두 내 학문의 스승들이시다.

내가 그분들의 제자였던 것처럼 나 역시 누군가의 스승이 된다. 나 역시 그런 멋진 학생들을 계속 찾아왔고 만나서 즐겁게 연구해 오고 있다. 공자도 얘기했다. 천하의 인재를 얻어 가르치는 것이야말로 인생의 큰 기쁨 가운데 하나라고. 내겐 그런 스승이 있고 그런 제자가 있다. 내게 베풀어 주신 하나님의 큰 은혜다.